KU-708-112

Cyflwynedig i
Ysgol Gymraeg Brynmawr
ac i un ferch yn arbennig,
Bryony Knapp

1. Paradwys yn Eden

Mae bywyd yn Ysgol Gymraeg Eden yn well nag erioed!

Rydw i, Tom, a Jac a Wil fy ffrindiau, wrth ein boddau yn yr ysgol. Rydyn ni bellach ym Mlwyddyn Chwech ... ond nid dyna sy'n gyfrifol am y ffaith ein bod ni ar ben ein digon. Rydyn ni'n cael chwarae pêl-droed pa bryd bynnag y mynnwn, chwarae gêmau, a bwyta'n cinio heb ofn, ac mae gwên ar wyneb pawb.

Ond falle eich bod yn cofio nad fel hyn y bu hi erioed. Mae 'na flwyddyn gron wedi mynd heibio ers i Mrs Ceredig roi trefn o'r diwedd ar Mrs Sharp. Menyw ginio flin a chas oedd Mrs Sharp – doedd neb yn ddiogel rhag ei chreulondeb ac roedd hi'n mwynhau gwneud i'r plant ddioddef.

Diolch byth, ar ôl y cythrwfl yn y stafell gotiau rhyngddi hi a Mrs Ceredig y llynedd, mae'r hen ddeinosor wedi mynd o'r ysgol i weithio mewn lladd-dy, lle mae hi'n cael hwyl yn reslo'r anifeiliaid, rwy'n siŵr! Does neb wedi'i gweld hi na chlywed dim amdani ers hynny. Fel y deinosoriaid go iawn, mae hi wedi diflannu o'r tir.

Y dyddiau hyn, gall holl blant Ysgol Gymraeg Eden fwynhau cwmni Mrs Ceredig, y fenyw ginio orau yn y byd! Mae hi yr un fath ag erioed – bob amser yn wên o glust i glust, a gair caredig i'w ddweud wrth bawb bob dydd.

Am ein bod ni wedi cyrraedd Blwyddyn Chwech, dydyn ni ddim yn cael cwtsh gan Mrs Ceredig nac yn dal dwylo â hi – rhywbeth i blant y Babanod yw hynny – ond mae 'na bethau gwych am fod yn hŷn hefyd.

Plant Blwyddyn Chwech yw swyddogion yr ysgol. Rydym yn cael dyletswyddau arbennig, fel arwain y plant lleiaf yn ôl i'r dosbarthiadau ar ôl amser chwarae, neu fod yn gapteiniaid ar ein timoedd yn y mabolgampau. Ond y peth gorau oll, y peth mwyaf cyffrous, yw gwybod y byddwn ni, ymhen pedwar mis, yn cael mynd i'r Ysgol Gyfun!

"Wyt ti'n gwybod ..." meddai Wil un amser cinio rhyw bythefnos yn ôl, "yn yr Ysgol Gyfun, fe gewch chi brynu unrhyw beth rydych chi ei eisiau amser egwyl a chinio!"

9

Edrychais arno'n syn. "Be wyt ti'n feddwl?" gofynnais.

"Wel, mae'r ffreutur yno'n debyg i McDonalds: gei di fyrgyr, sglodion main, ysgytlaeth hufennog o bob lliw a blas ... a dweud y gwir, mae'n *well* na McDonalds ..."

"Gwell na McDonalds?!" torrodd Jac ar ei draws yn gyffrous.

"Wel, ydi. Mae 'na siop losin yna hefyd! A pheiriannau diodydd a chreision!"

Roedd Jac a fi wedi'n rhyfeddu. Doedden ni ddim yn gallu credu'r peth! Roedd yr Ysgol Gyfun yn dechrau ymddangos yn fwy a mwy fel nefoedd ar y ddaear.

"Mae'n swnio fel paradwys!" meddwn i wrth Jac. "'Run peth ag Ysgol Eden, ond gwell!" ychwanegais.

Ychydig a wyddwn i bryd hynny fod rhywbeth ar fin tarfu unwaith eto ar fyd bach hapus Ysgol Eden. Fe gawson ni bythefnos gythryblus iawn ...

2. Hunllef i Ginio

Llusgodd yr wythnos yn ei blaen yn hamddenol. Ddigwyddodd dim byd diddorol tan fore Mercher diwethaf. Pan gyrhaeddais yr ysgol am chwarter i naw, roeddwn i'n gwybod yn syth bod rhywbeth o'i le. Ar yr wyneb, roedd popeth i'w weld yn iawn – dim byd allan o'r cyffredin. Ond yn fy stumog, yn fy ngheg, lan fy nhrwyn ac ar bob blewyn ar fy mhen, roeddwn i'n synhwyro fod rhywbeth o'i le.

Roedd arogl gwahanol yn yr awyr; roedd fy ffroenau a 'ngheg yn gogleisio; roedd iasau'n dawnsio lan a lawr fy nghefn, ac roedd fy stumog yn teimlo'n drwm ofnadwy – fel petawn i wedi llyncu pêl-fowlio-deg!

"Wyt ti'n cofio beth sy mlaen heddiw?" meddai Jac wrth gyfarfod â fi yn yr ystafell gotiau.

"Na …" atebais yn araf, gan fy mod yn dal i deimlo'n rhyfedd.

"Mae Miss Morgath o'r Ysgol Gyfun yn

11

dod i siarad â ni!" ychwanegodd Jac yn gyffrous.

"O, ie!" dywedais, gan ddeffro o'm breuddwyd. Yn raddol, dechreuais

anghofio'r teimladau rhyfedd wrth gerdded tuag at y dosbarth.

"Ydych chi'n cofio pwy sy'n dod heddiw, bois?" ebychodd Wil wrth ein gweld yn dod trwy ddrws y stafell ddosbarth.

"Ydyn!" dywedodd Jac a fi, fel côr llefaru.

Roedd plant y dosbarth fel gwenyn mewn cwch, yn llawn cyffro wrth siarad am ymweliad Miss Morgath. Meddyliais efallai mai dyna pam fod yr ysgol yn teimlo'n rhyfedd y bore hwnnw – am fod Blwyddyn Chwech wedi cynhyrfu gymaint.

Fe fuom yn gweithio ar ein prosiectau barddoniaeth trwy'r bore ac, ymhen dim, roedd hi'n amser cinio. Y diwrnod hwnnw, aeth pawb i'r ffreutur fel arfer, cawsom ein bwyd ar hambyrddau, ac aethom i eistedd. Dechreuodd pawb fwyta eu cinio.

Eiliadau'n unig oedd wedi mynd heibio cyn i'r sgrechiadau cyntaf ddechrau atsain trwy'r ffreutur enfawr.

"Yyyyyyyyyych!" meddai rhywun.

"Ych-a-fi!" ebychodd rhywun arall.

"Mae fy ngheg i ar dân!" gwaeddodd Wil.

"Ffoniwch y frigâd dân!" sgrechiodd Jac.

"Oooooooooooooo!" gwaeddais innau, gan boeri'r bwyd o'm ceg.

O bob cornel o'r ffreutur deuai sŵn poeri a phesychu a phlant yn sgrechian am ddŵr. Roedd nifer o blant yn crio, rhai'n rhedeg am y tai bach i chwydu, ac eraill yn eistedd ger y byrddau â'u cegau ar agor led y pen fel pysgod wedi marw.

Edrychodd Mrs Ceredig o'i hamgylch yn wyllt. Wrth i'r menywod cinio eraill ddechrau arllwys dŵr i ddegau o gwpanau, aeth Mrs Ceredig draw at grochan mawr o gawl ar y stôf. Rhoddodd hi lwy ynddo a bachu darn o dato cyn ei wthio i'w cheg yn grac.

Trodd y daten o amgylch ei cheg ond, yn sydyn, wrth i'w cheg ddechrau ymateb i'r bwyd, aeth ei hwyneb yn wyn, a'i llygaid yn goch, a dechreuodd y dagrau lifo i lawr ei bochau.

"Mae rhywun wedi rhoi llwyth o bowdr

15

cyrri yn y caaaaAAAWL!" sgrechiodd Mrs Ceredig nerth ei phen cyn rhedeg at y tap dŵr oer, agor ei cheg oddi tano, a throi'r tap ymlaen.

3. Fandal

Fe ddaeth Miss Morgath i siarad â ni y prynhawn hwnnw, ond doedd dim llawer o hwyl ar neb i glywed am fywyd yn yr Ysgol Gyfun gan fod ein cegau i gyd yn dal i losgi. Aeth dim un ohonon ni ati i wneud hwyl am ben Miss Morgath chwaith, er bod ganddi wyneb fel y pysgodyn hwnnw sy'n glanhau gwaelod yr acwariwm yn fy stafell wely.

Dim ond unwaith y bu'n rhaid i Miss Huws ofyn i'r dosbarth dawelu, a hynny pan ofynnodd Ryan i Miss Morgath a oedd yr hanes yn wir fod y plant mwyaf yn gwthio pennau'r plant lleiaf i lawr y tai bach – a hynny pan oedd pî-pî ynddyn nhw. "Nac yw, dyw hynny *ddim* yn wir!" ebychodd Miss Morgath yn frawychus, gan edrych hyd yn oed yn fwy fel pysgodyn nag o'r blaen.

Chwarddon ni i gyd, ond roedd Ryan yn edrych fel petai'n siomedig nad oedd siawns y câi wthio ei ben i mewn i'r pi-pi!

Wedi i Miss Morgath fynd, cefais helpu ein hathrawes i addurno wal y dosbarth yn brydferth iawn yn barod i dderbyn ein prosiectau barddoniaeth. Roeddwn i'n hapus iawn gyda fy ngherdd i, ond doedd Miss Huws ddim fel petai hi'n cytuno.

"Wel, Tom, mae'n rhaid i mi gyfaddef, yn yr holl amser dw i wedi bod yn dysgu, dyma'r gerdd fwyaf … ym … rhyfedd dw i wedi'i darllen erioed," meddai Miss Huws cyn darllen y gerdd i'r dosbarth i gyd.

Y Draenog

Mae'r draenog bach yn deffro
Ar ôl y gaeaf maith,
Ond wedi i'r car ei daro
Dyna ddiwedd ar ei daith.

"Druan â'r draenog!" ebychodd Miss Huws, ond roedd y plant i gyd yn rholio chwerthin wrth i'r gloch ganu i nodi ei bod yn amser mynd adre.

Roeddwn i'n teimlo'n rhyfedd eto wrth gyrraedd yr ysgol y bore canlynol. Roeddwn i'n siŵr fod rhywbeth o'i le. Roedd arogl od yn dal i fod ar hyd y lle, ac roedd fy nhrwyn, fy ngheg a 'mol i gyd yn gogleisio eto. Meddyliais efallai mai ôl-effeithiau'r cyrri o'r diwrnod cynt oedd e, ond wrth i mi hongian fy nghot ar fachyn yn y stafell gotiau, clywais gyfres o anadliadau uchel a thrwm yn dod o gyfeiriad ein dosbarth ni.

"Oooooooo!"

"Aaaaaaaaaa!"

"O na!"

Rhedais i'r dosbarth gan ollwng fy mag ar lawr y stafell gotiau. Pan gyrhaeddais, gwelais fod grŵp bach o blant yn sefyll yn stond yng nghanol y dosbarth ac yn syllu ar un o'r waliau – y wal â'n barddoniaeth ni arni hi.

Trois i edrych ar y wal. Ar hyd y gwaith i gyd roedd y gair 'SBWRIEL' wedi'i chwistrellu mewn inc coch llachar.

Edrychodd y plant eraill arna i. Wrth i mi symud yn agosach er mwyn gallu gweld yn well, sylwais fod saeth o baent yn troelli'n syth o'r gair creulon at fy ngwaith i.

Wel, ro'n i wedi cael andros o sioc, a dechreuodd fy llygaid lenwi â dagrau. Ar hynny, daeth Miss Huws i mewn i'r stafell ddosbarth.

"Bore da! Rydych chi blantos yn gynnar heddiw ..." dechreuodd. Ac yna caeodd Miss Huws ei cheg yn glep wrth iddi sylwi ar y wal. Syllodd ar y paent coch, yna arna i, ac yna ar y plant eraill, gan geisio dyfalu beth yn y byd mawr oedd wedi digwydd.

4. O Ddrwg i Waeth!

Erbyn hyn, roedd Wil, Jac a minnau'n dechrau amau fod yna ryw ddrwg yn y caws yn rhywle. Rhwng y powdwr cyrri yn y cawl a'r wal farddoniaeth wedi'i fandaleiddio, roedd gormod o bethau erchyll wedi digwydd o fewn un wythnos iddo fod yn ddim byd ond tipyn o anlwc. Roedd fel pe bai melltith ar yr ysgol, ac arna i yn enwedig!

Penderfynodd y tri ohonom y bydden ni'n cadw llygad barcud ar bethau yn yr ysgol o hynny allan. Roedden ni'n mynd i gadw golwg ar bawb a phopeth.

Am ddeuddydd buom yn patrolio'r ysgol trwy bob egwyl ac amser cinio, ond doedd dim byd anarferol wedi digwydd. Wrth i ni ddechrau blino ar yr holl wylio a chadw golwg, aeth pethau o ddrwg i waeth.

Roedd y tri ohonon ni ar fuarth yr ysgol un amser cinio, gyda phawb yn chwarae'n braf yn yr heulwen a Mrs Ceredig yn cysuro plentyn bach oedd wedi cwympo ac anafu ei goes. Yn sydyn, clywsom frêcs car yn sgrechian yn uchel a'r teiars yn llithro ar yr heol.

Trodd pawb i gyfeiriad y sŵn. Ar yr heol tu allan i gât yr ysgol, roedd car wedi rhewi yn yr unfan a mwg yn codi o'r teiars. O flaen

y car, safai Megan Morris yn sgrechian crio. (Hon oedd y ferch oedd yn enwog yn yr ysgol am fod Mrs Sharp wedi ei dal yn sychu'i philion trwyn ar y wal!) Dechreuais edrych o gwmpas yn wyllt, a sylwais ar unwaith fod gât fach yr ysgol ar agor led y pen, a'r gadwyn â chlo a oedd fel arfer yn diogelu'r plant rhag crwydro i'r heol wedi diflannu.

"O na!" ebychodd Mrs Ceredig wrth redeg nerth ei thraed at Megan.

Roedd gyrrwr y car yn amlwg wedi cael braw; roedd e'n eistedd â'i ben yn ei ddwylo y tu ôl i lyw y car. Rhedais innau i nôl Mr Llwyd. Pan ddaethon ni'n ôl, roedd y gyrrwr yng nghegin yr athrawon yn yfed dysglaid o de, a Mrs Ceredig yn magu Megan fach.

"Sut yn y byd digwyddodd hyn?" holodd Mr Llwyd yn llym.

"Wn i ddim, wir," meddai Mrs Ceredig. "Pan ddes i i'r ysgol cyn cinio, fe wnes i'n siŵr fod y gadwyn â'r clo yn sownd am y gât. Ond nawr maen nhw wedi diflannu!"

24

Roeddwn i'n drist iawn o weld Mrs
Ceredig wedi'i hypsetio cymaint. Ond roedd
Mr Llwyd yn oeraidd iawn tuag ati.

"Fe af i ffonio rhieni Megan i ofyn iddyn nhw ddod i'w chasglu. Wedi iddyn nhw fynd, dw i am eich gweld chi yn fy swyddfa ar unwaith, iawn Mrs Ceredig?"

"Iawn," atebodd yn sigledig.

Aeth Mr Llwyd allan o'r stafell yn grac, a throis innau at Mrs Ceredig.

"Peidiwch â becso – nid eich bai chi oedd e, Mrs Ceredig," meddwn yn fwyn. "Mae melltith ar yr ysgol 'ma."

"Wn i ddim am felltith, Tom, ond fi oedd i fod i wneud yn siŵr bod y gât ar glo, felly fy mai i yw e," atebodd hi'n dristach fyth.

Gyda hynny, gafaelodd yn dynn yn Megan, a oedd yn cysgu yn ei breichiau, a'i chario i swyddfa Mr Llwyd.

5. Ysbio

Wedi i Mrs Ceredig adael am swyddfa Mr Llwyd, rhedais nerth fy nhraed i chwilio am Jac a Wil i ddweud y stori wrthyn nhw.

"Mae'n rhaid i ni glywed beth mae Mr Llwyd am ei ddweud wrth Mrs Ceredig," meddai Wil yn benderfynol.

"Rwy'n cytuno," ychwanegodd Jac. "Mae'n rhaid i ni gael gwybod pa mor ddifrifol yw'r sefyllfa."

"Dewch gyda fi!" sibrydais yn uchel, a dechrau cerdded i gyfeiriad cefn yr ysgol.

Roedd cefn yr ysgol yn dywyll a'r waliau i gyd yn llaith. Doedd braidd dim goleuni'n cyrraedd yno. Cripiodd y tri ohonom yn isel o dan y ffenestri nes cyrraedd y tu allan i ffenestr swyddfa Mr Llwyd. Yn ffodus, roedd y ffenestr uchaf ar agor gan fod y tywydd yn gynnes. Roedd Mr Llwyd wrthi'n ffarwelio â rhieni Megan Morris.

"Diolch yn fawr am ddod i'w chasglu, Mr a Mrs Morris, ac fel y dywedais i, rwy'n

rhoi fy addewid i chi y bydd yna ymchwiliad trwyadl i'r mater."

Clywsom Mr Llwyd yn cau drws ei swyddfa. Ochneidiodd yn ddwfn. Llais Mrs Ceredig glywson ni nesaf.

"Rwy'n flin ofnadwy, Mr Llwyd!" llefodd Mrs Ceredig trwy ei dagrau. "Ond rwy'n bendant siŵr 'mod i wedi cloi'r gât – rwy'n cofio troi'r allwedd yn y clo!"

Ochneidiodd Mr Llwyd eto. Roedd ei dymer yn amlwg wedi tawelu. Roedd e'n drist iawn ei fod yn gorfod siarad fel hyn â Mrs Ceredig.

"Efallai eich bod chi wedi drysu, Mrs Ceredig; efallai taw meddwl am ddoe rydych chi? Ydy hynny'n bosib?"

Gallwn glywed Mrs Ceredig yn ffroeni a snwffian i'w hances.

"Ym, ydy, nac ydy … O, rwy mor ddryslyd ar ôl yr holl brofiad, dw i ddim yn siŵr o unrhyw beth erbyn hyn!" Roedd Mrs Ceredig druan yn teimlo'n ansicr iawn.

"Gwrandewch, Mrs Ceredig; rydych chi

wedi gofalu am y plant yma'n ardderchog am ddeng mlynedd. Efallai, ym ..." oedodd Mr Llwyd am eiliad. Yn amlwg, doedd yr hyn roedd e'n mynd i'w ddweud nesaf ddim am fod yn bleserus.

"... efallai ei bod yn bryd i chi feddwl am ymddeol, i chi gael ymlacio rhywfaint?"

Mr Llwyd oedd yn swnio'n nerfus y tro hwn.

Roedd pobman yn dawel am rai eiliadau. Yr unig beth oedd i'w glywed trwy'r ffenestr agored oedd sŵn crio Mrs Ceredig, ac roedd hwnnw'n mynd yn waeth ac yn waeth.

"Wel, cymerwch doriad bach o leiaf. Ewch ar wyliau. Fe gadwaf eich swydd yma'n agored am fis, i chi gael meddwl am y peth. Rwy'n gwybod y gwnewch chi'r penderfyniad cywir – dyna fyddai orau i bawb."

Ar hynny, canodd y gloch i ddangos bod amser cinio ar ben. Cripiodd y tri ohonom yn ôl i flaen yr ysgol gan ddeall yn iawn yr hyn roedd Mr Llwyd yn ei olygu wrth 'y penderfyniad cywir'.

6. Hwyl Fawr, Mrs Ceredig

Roedd cwmwl mawr du wedi dod i orffwys uwchben Ysgol Gymraeg Eden. Roedd y felltith wedi llwyddo gan fod Mrs Ceredig wedi penderfynu gadael ddiwedd yr wythnos. Doedd hi ddim am ddod 'nôl byth eto.

Roedd yr ysgol gyfan wrthi'n paratoi cyngerdd i ffarwelio â Mrs Ceredig ddydd Gwener. Ond doedd gan, Jac, Wil a minnau yr un bwriad o ffarwelio â Mrs Ceredig. Roedd y tri ohonon ni'n gwybod yn iawn fod esboniad arall am y pethau erchyll oedd wedi digwydd, ac nid ar Mrs Ceredig oedd y bai. Cawsom gyfarfod dirgel yng ngardd yr

ysgol.

"Os yw Mrs Ceredig yn dweud ei bod hi wedi cloi'r gât, mae hynny'n golygu fod y gât yn bendant ar glo. Mae'n rhaid fod rhywun wedi dad-gloi'r gât a datod y gadwyn."

"Ond pwy?" gofynnodd Jac. "Oes rhywun wedi ei gadael ar agor ar ddamwain?"

"Y postmon, efallai?" cynigiodd Wil.

"Na. Mae'r postmon yn cyrraedd cyn Mrs Ceredig yn y bore," atebais i. "Mae'n rhaid taw rhywun arall wnaeth, ac rwy'n berffaith siŵr nad damwain oedd hi chwaith. Mae'n rhaid i ni gadw golwg ar y gât, i weld pwy arall sy'n ei defnyddio. Os medrwn ni gasglu digon o dystiolaeth, gallwn fynd at Mr Llwyd ac esbonio'r cyfan ac fe gaiff Mrs Ceredig aros."

"Ni sydd ar ddyletswydd drws yr wythnos hon," meddai Jac. "Mae'n gyfle ardderchog i ni gadw golwg ar y gât heb i neb amau dim."

"Gwych!" ebychais, ac fe aethon ni i gyd

yn ôl i'r dosbarth gan deimlo ychydig yn well. Arhosodd un ohonom wrth ddrws yr ysgol trwy gydol pob amser egwyl ac amser cinio o hynny ymlaen. Ein gwaith oedd gadael y plant i mewn o'r iard i fynd i'r tŷ bach neu i gael eu cinio. Roedd e'n un o ddyletswyddau arbennig Blwyddyn Chwech.

Er i ni wylio a gwylio, ddaeth yr un person trwy'r gât, heblaw am Mrs Ceredig a'r postmon. Roedd yr athrawon, yr ymwelwyr a'r rhieni i gyd yn defnyddio'r brif gât ym mhen arall yr ysgol.

Erbyn dydd Iau, y diwrnod cyn i Mrs Ceredig adael yr ysgol am byth, roedd y tri ohonon ni'n dechrau anobeithio, ac ar fin rhoi'r ffidil yn y to. Ond, o'r diwedd, newidiodd ein lwc …

Fi oedd yn gwylio wrth ddrws yr ysgol tra oedd Jac a Wil yn cael eu cinio. Clywais i sŵn – sŵn digon cyffredin ond, am ryw reswm, fe wnaeth i'm gwaed rewi. Roedd yn dod o stafell gotiau'r merched.

7. O'r Badell Ffrio i'r Tân!

Roedd stafell gotiau'r merched yn union i'r dde o ddrws y fynedfa. Gyda'r drws ar gau, roedd yr ysgol fel y bedd gan fod y ffreutur ym mhen arall yr adeilad, a phob plentyn nad oedd yn bwyta cinio yn chwarae y tu allan.

Felly, pan glywais sŵn siffrwd yn dod o'r stafell gotiau, a finnau'n gwybod nad oedd modd yn y byd i rywun fod yno, aeth ias enfawr i lawr fy nghefn a dechreuais grynu.

Er bod arna i ofn, ro'n i'n gwybod fod yn rhaid i mi fynd i ymchwilio.

Pan gyrhaeddais y stafell gotiau, roedd y sŵn siffrwd wedi peidio, ond gallwn glywed sŵn anadlu trwm. Sŵn rhywun ... neu rywbeth ... prysur; rhywun oedd wrthi'n gwneud rhywbeth cyfrinachol yn dawel, dawel fach.

Dydw i ddim yn siŵr beth roeddwn i'n disgwyl ei weld wrth i mi gamu'n sigledig i mewn i'r stafell gotiau. Aeth llawer o bethau

trwy fy meddwl; efallai mai anifail rheibus oedd yno, yn barod i ymosod arna i! Efallai mai bwgan creulon yn crwydro'n ddigyfeiriad oedd yno, yn chwilio am rywun i'w ddychryn!

Camais yn ofalus i mewn i'r stafell gan edrych yn wyllt o amgylch y gilfach, yn barod i redeg nerth fy nhraed oddi yno yr eiliad y gwelwn i rywbeth erchyll.

Wrth i mi gyrraedd i ganol y stafell fechan, stopiodd y sŵn anadlu. Roedd y lle yn hollol dawel. Plygais i sbecian rhwng y rheng o gotiau o'm blaen; wedi i'm llygaid ddod yn gyfarwydd â'r tywyllwch yno, gwelais ffigwr yn swatio yng nghornel y stafell a'i gefn tuag ataf. Roedd y siâp yn llonydd. Wrth i mi syllu, dechreuodd y siâp droi, fel petai wedi synhwyro bod rhywun yn gwylio.

Roedd yr eiliadau hynny, wrth i'r ffigwr droi, yn teimlo fel oes. Ond yn araf bach fe ddes i wyneb yn wyneb â'r anghenfil.

Bu bron i mi lewygu pan welais pwy oedd

yna. O dywyllwch cornel y stafell gotiau, yn syllu arnaf – ei llygaid yn melltennu a gwên fawr ar ei hwyneb – roedd Mrs Sharp!

Agorais fy ngheg, yn barod i weiddi am help. Nid gwaedd ddaeth o'm ceg, ond gwich.

"Beth ydych chi'n ei wneud yma?" gofynnais, a'm llais yn crynu.

"Wel, wel! Tom Jones! Dyma syrpréis!" sibrydodd Mrs Sharp yn greulon.

Edrychais ar y llawr o'i blaen hi i weld beth oedd hi wedi bod mor brysur yn ei wneud. Yno, roedd pentwr o bapur wedi'i grychu a bocs o fatsys. Roedd Mrs Sharp ar fin cynnau tân!

Lledodd y wên faleisus ymhellach ar draws ei hwyneb hyll, a gwyddwn fod y felosiraptor yn gallu arogli fy ofn. Roedd yr helfa wedi dechrau unwaith eto ac, fel o'r blaen, FI oedd yr ysglyfaeth!

8. Tom y Twrci

Llamodd Mrs Sharp ymlaen yn gyflym tuag ataf, fel teigr yn llamu i ddal sebra! Ond roeddwn i'n barod wedi troi ar fy sawdl a'i heglu hi i lawr y coridor.

Gwyddwn mai i gyfeiriad y ffreutur y dylwn i redeg, am fod Mrs Ceredig yno i'm hachub. Roedd y ffreutur tua chan metr i ffwrdd, ond pa mor gyflym bynnag yr oeddwn i'n rhedeg, roedd Mrs Sharp yn dynn ar fy sodlau.

Yn sydyn, teimlais rywbeth yn cydio'n greulon yn fy ngholer – crafanc y bwystfil, Mrs Sharp, oedd yno! Y funud honno, sylweddolais nad oeddwn i'n symud cam. Er bod fy nhraed yn dal i chwipio'n ôl ac ymlaen, roedd Mrs Sharp wedi fy nghodi'n glir oddi ar y llawr. Wrth i mi agor fy ngheg i weiddi dros bob man, rhoddodd Mrs Sharp ei llaw esgyrnog dros fy ngheg a'm llusgo'n ôl yn llipa i'r stafell gotiau.

"Beth wna i gyda ti nawr, hen ffrind?"

chwarddodd Mrs Sharp yn ddi-hiwmor. "Rwy am dynnu fy llaw oddi ar dy geg, ond paid ti â meiddio galw am help, neu fydd raid i mi wnïo dy geg di ar gau!" Chwarddodd Mrs Sharp eto. Yn amlwg, byddai hi'n hapus iawn i wnïo fy ngheg ar gau.

Tynnodd ei llaw i ffwrdd, a llwyddais i gadw'n dawel – rydw i'n hoffi fy ngheg yn union fel ag y mae, diolch yn fawr i chi! Er bod llond bola o ofn arna i, roeddwn i hefyd yn dechrau teimlo braidd yn haerllug. Os nad oeddwn i'n cael gweiddi, roeddwn i'n mynd i gael fy sbort fy hun.

"Ydych chi'n un dda am wnïo?" gofynnais yn ddiniwed.

"Beth?!" cyfarthodd Mrs Sharp.

"Meddwl oeddwn i, petaech chi'n un dda am wnïo, efallai – gan eich bod yn gwnïo fy ngheg – y gallech chi drwsio fy nghrys hefyd? Mae botwm wedi dod i ffwrdd pan oeddech chi'n fy llusgo i lawr y coridor."

Edrychodd Mrs Sharp arnaf, ei llygaid a'i

cheg yn crychu. Yn amlwg, doedd hi ddim yn hoff o'm hiwmor. Cydiodd ynof a dechrau clymu fy nhraed a'm dwylo â'i gilydd, cyn eu clymu'n dynn i biben drwchus y rheiddiadur.

"Dyna ti, 'ngwas i, ddoi di ddim yn rhydd o fanna ar frys!" Taflodd Mrs Sharp ei phen yn ôl a chwerthin ond, y tro hwn, roedd ei chwerthin yn debycach i sŵn udo blaidd. Roeddwn innau ag awydd chwerthin hefyd, nid ar jôcs yr anghenfil, ond am ben Mrs Sharp. Edrychai ei hwyneb yn union 'run fath â wyneb ci Mam-gu pan oedd e'n gwneud pw-pw ar y lawnt!

"Pam wyt ti'n gwenu?" Stopiodd yr udo, a throdd Mrs Sharp i edrych arnaf yn grac. Roedd hi wedi fy ngweld yn gwneud fy ngorau glas i beidio chwerthin.

"Ym …" ceisiais feddwl am esgus da. "Ym … meddwl oeddwn i … pa mor brydferth oeddech chi'n edrych pan oeddech yn chwerthin." Cochais at fôn fy nghlustiau – doeddwn i ddim yn un da am ddweud celwydd.

"O, diol …" dechreuodd Mrs Sharp gan wrido, ond sylweddolodd hi'n reit sydyn taw bod yn wawdlyd oeddwn i. "Wel, y diawl bach ffit!" ebychodd. Roedd hi'n gynddeiriog yn awr!

Fe aeth hi i'r tŷ bach oedd yn rhan o'r stafell gotiau, ac estyn pentwr o dywelion papur. Rholiodd hi ddau neu dri ohonynt yn siâp pêl.

"Agor dy geg!" gorchmynnodd hi.

Agorais fy ngheg yn araf – roeddwn i'n gwybod yn iawn beth roedd hi'n mynd i'w wneud. Stwffiodd y belen o dywelion papur i mewn i fy ngheg a dechrau udo unwaith eto. Doedd ei hwyneb ddim mor ddoniol erbyn hyn.

"Oeddet ti wir yn meddwl fy mod i, Mrs Sharp, yn mynd i adael i blant bach haerllug Ysgol Gymraeg Eden gael y gorau ohona i?"

Roedd hi'n siarad ac yn chwerthin yr un pryd. Edrychai fel petai hi wedi mynd o'i chof! Y funud nesaf, cododd y bocs blwch matsys, tynnu un allan, a'i thanio.

Wrth iddi blygu i gynnau'r pentwr o bapur wedi'i grychu, meddyliais mor debyg oeddwn i i dwrci Dolig – wedi'i glymu mewn siâp rhyfedd a'i stwffio'n llawn rwtsh – a nawr roeddwn ar fin cael fy nghoginio!

Roedd y papur wedi dechrau llosgi'n araf pan drodd Mrs Sharp am y tro olaf i siarad â mi. "A ble mae dy arwres di, Mrs Ceredig, nawr 'te?" meddai hi gan chwerthin.

"Mae hi y tu ôl i chi!" ceisiais i ddweud – achos, yn wir i chi, roedd Mrs Ceredig yn sefyll y tu ôl i Mrs Sharp, gyda'i dwylo ar ei chluniau a golwg grac ofnadwy ar ei hwyneb … ond roedd yn amhosib dweud hynny gyda llond fy ngheg o dywelion papur!

9. Yr Ornest Olaf

"Beth ar wyneb y ddaear ydych chi'n ei wneud, yr hen ddeinosor dwl?"

Taranodd llais Mrs Ceredig o amgylch y stafell gotiau fel mil o rocedi'n ffrwydro ar noson tân gwyllt. Roedd Mrs Sharp â'i chefn at Mrs Ceredig, ond roeddwn i'n edrych i fyw ei llygaid. Pan glywodd Mrs Sharp lais anferth Mrs Ceredig, diflannodd y lliw o'i hwyneb yn llwyr. Aeth Mrs Sharp yn wyn fel y galchen. Agorodd ei llygaid led y pen. Edrychai'n union fel ysbryd.

Y funud honno, dechreuodd fflamau'r tân ddringo i fyny'r cotiau oedd yn hongian ar eu bachau. Dyma'r tro cyntaf i Mrs Ceredig weld y tân.

"Nefi bliw!" ebychodd, cyn rhedeg allan i'r coridor lle roedd y biben ddiffodd tân ar rolyn enfawr. Tynnodd Mrs Ceredig yn ffyrnig ar y biben a rhedeg 'nôl i'r stafell gotiau. Anelodd y biben at y tân, gan droi tap bychan oedd am wddf y biben. Yr eiliad honno, ffrwydrodd roced o ddŵr o'r pen gan ladd y tân yn syth.

Yng nghanol yr holl ffwdan, roedd Mrs Sharp wedi sleifio allan o'r stafell gotiau ac wedi dechrau dianc i lawr y coridor – ond roedd Mrs Ceredig wedi'i gweld hi.

Trodd Mrs Ceredig y biben a'i hanelu am Mrs Sharp. Cododd y saeth o ddŵr fel enfys trwy'r awyr, ac ymhell i lawr y coridor. Eiliadau cyn i Mrs Sharp droi'r gornel, tarodd y saeth o ddŵr ei darged – pen-ôl Mrs Sharp.

Roedd y dŵr mor bwerus, fe daflodd Mrs Sharp ymhell i'r awyr lle gwnaeth hi dri throsben cyn glanio gyda SBLAT ar y llawr. Gorweddai yno fel gwybedyn marw. Ac yn union fel yn yr ornest gyntaf rhyngddi hi a Mrs Ceredig, roedd ei nics a'i phais yn y golwg i bawb eu gweld.

Yn anffodus i Mrs Sharp, doedd Mrs Ceredig ddim wedi gorffen gyda hi eto. Plygodd Mrs Ceredig y biben hir, hyblyg, mewn siâp cylch a'i glymu at ei gilydd i greu lasŵ. Chwifiodd y lasŵ uwch ei phen cyn ei daflu i lawr y coridor a bachu corff llipa Mrs Sharp ynddo. Roedd Mrs Ceredig yn rheoli'r lasŵ yn union fel cowboi mewn ffilm. Llusgodd hi gorff truenus Mrs Sharp i fyny'r coridor tuag ati a'i chlymu.

Y funud roedd Mrs Sharp wedi'i chlymu'n ddiogel, brysiodd Mrs Ceredig draw ataf i dynnu'r tywelion papur o'm ceg a datod y rhaffau.

Neidiais yn rhydd a thaflu fy mreichiau am ei gwddf i gael cwtsh mawr ganddi. Doedd

dim ots nad oedd plant fy oed i yn arfer cwtshio Mrs Ceredig – mae angen cwtsh ar bawb o bryd i'w gilydd, hyd yn oed plant mawr Blwyddyn Chwech!

10. Cowboi Ceredig!

Wrth i mi gydio'n dynn yn Mrs Ceredig, daeth haid o athrawon i lawr y coridor ar frys. Doedden nhw ddim wedi sylwi fod y llawr yn wlyb a llithrig. Wrth iddyn nhw gyrraedd y stafell gotiau, llithrodd Mr Llwyd ar y teils gwlyb a glanio'n drwm mewn pwll o ddŵr. Roedd ei siwt yn wlyb socian, a rhwygodd ei drowsus yn y cefn gan ddangos ei bants patrymog coch i ni a'r athrawon!

Dechreuais i chwerthin, ond edrychodd Mrs Ceredig yn ddifrifol arna i a phenderfynais roi'r gorau iddi. Cofiwch chi, mae Wil, Jac a minnau wedi chwerthin am y peth lawer gwaith oddi ar hynny!

Roedd Mrs Sharp yn dal i orwedd ar y llawr, wedi'i chlymu ac yn griddfan ac ochneidio fel sombi!

Cododd Mr Llwyd ar ei draed, a benthyg un o gotiau'r merched er mwyn ei chlymu am ei ganol i guddio'r rhwyg yn ei drowsus.

54

Dechreuodd Mrs Ceredig esbonio'r cyfan i Mr Llwyd. Daeth Miss Huws o rywle i ffwdanu drosof fel iâr, gan ofyn a oeddwn i'n iawn ac a oeddwn wedi fy mrifo – ond roeddwn i'n teimlo'n ddigon diogel ar ôl cael cwtsh gan Mrs Ceredig.

"Rwy'n iawn, diolch yn fawr," atebais yn gwrtais.

Ac o hynny 'mlaen mae popeth braidd yn niwlog …

Daeth yr heddlu draw, a llusgo Mrs Sharp yn swta i fan fawr wen â ffenestri tywyll iddi. Mae'n debyg bod y plant wedi cael hwyl fawr yn edrych mas o ffenestri'r stafelloedd dosbarth yn curo dwylo ac yn cymeradwyo – nes i'r athrawon ddweud wrthyn nhw am beidio â bod mor greulon!

"Mae dy fam ar ei ffordd i dy gasglu di, Tom," meddai Mr Llwyd wrthyf ar ôl i'r heddlu fynd oddi yno.

Trois at Mrs Ceredig. Roedd hi'n gwenu'n braf, a'i llygaid bach glas yn disgleirio fel sêr.

"Fe fydd popeth yn iawn nawr, yn bydd?" gofynnais iddi.

Plygodd Mrs Ceredig ymlaen ataf. "Paid ti â becso taten!" meddai hi. "Rwy'n siŵr y bydd yr heddlu'n cael y gwir i gyd gan Mrs Sharp. Y gwir am y powdwr cyrri, y gwir am y fandal fu yn eich stafell ddosbarth, a'r gwir am y clo ar gât yr ysgol."

Safodd hi'n syth unwaith eto, cyn wincio arnaf a chyffwrdd ei thalcen â'i llaw … yn union fel cowboi caredig go iawn.

Llyfrau eraill yng nghyfres
Fflach Doniol **Dref Wen:**

Gwyn Morgan
Abracadabra
Babi Ben
Isi a'r Cloc
Psst!
Twpsyn

Martin Morgan
Tad-cu Ddwywaith
Tad-cu ar ei Wyliau
Tad-cu yn Bwyta Popeth
Twm a Mati Tat a'r Beilïaid
Twm a Mati Tat a'r Ddoli
Twm a Mati Tat a'r Ffilm Arswyd
Twm a Mati Tat yn Twtio'r Tŷ